Les apprentis du goût

Laurence Schmitter pour les histoires, les découvertes et les activités

Les classes des écoles E. Branly et J. Ducret pour les poèmes originaux

Henri Dès pour l'adaptation des textes et la musique

Catherine Jégou, Mathilde Lebeau et Peggy Nille pour les illustrations

mila éditions

Apprendre et expérimenter l'alimentation à travers le goût, le plaisir de la table, l'échange
sont autant de moyens de favoriser une bonne éducation alimentaire et contribuer à construire
une part d'identité de l'enfant... Au nom de l'ensemble des acteurs impliqués depuis 2003
dans la mise en place du Prix Matty Chiva et des membres de l'Institut Danone,
nous vous souhaitons beaucoup de plaisirs et d'échanges avec vos enfants ou vos élèves,
à travers l'exploration des *Apprentis du Goût*.

Les chansons de cet ouvrage ont obtenu le prix Matty Chiva 2007, décerné par l'Institut Danone.
En récompensant des actions pédagogiques ou littéraires ayant pour but d'initier l'enfant au plaisir du goût,
l'Institut Danone rend également hommage au Pr. Matty Chiva, éminent psychologue du goût chez l'enfant.

L'Institut Danone est une association loi 1901, créé en 1991 et financé par Danone. Il rassemble des scientifiques,
médecins et personnalités du monde de la nutrition et a pour mission d'encourager la recherche en nutrition, d'informer
les professionnels de santé et de participer, par des actions d'éducation, à l'amélioration de l'alimentation de la population.
Ses actions ne contiennent aucune information à caractère commercial.
Pour en savoir plus et découvrir tous les lauréats du Prix Matty Chiva depuis 2003 : www.institutdanone.org.

Sommaire

Un drôle de repas pour Théo

« À table ! crie maman en posant un saladier de tomates.

– Miam ! s'exclame Théo. J'adore ça !

– Ces tomates sont excellentes ! dit papa.

– Bof ! se dit Théo, moi je trouve qu'elles n'ont aucun goût ! »

« Maintenant, ouvrez bien vos narines et devinez ce que j'ai préparé ! dit maman en soulevant légèrement le couvercle d'un grand plat rond.

– Hum ! Hum ! Je ne sens rien ! murmure Théo. Qu'est-ce que c'est ?

– Comment ? s'exclame maman, tu ne reconnais pas la bonne odeur de pizza ! »

Théo grignote sa part de pizza du bout des lèvres.
« Bizarre, se dit-il, elle n'a pas de goût non plus.
Vivement le dessert ! »

La crème au chocolat arrive. Théo se jette sur son bol.
« Oh ! Non ! Même la crème au chocolat n'a goût de rien !
Maman, que se passe-t-il ?
– Je crois, dit maman en prenant Théo dans ses bras,
que ton rhume te joue un bien mauvais tour.
Je vais t'expliquer pourquoi. Suis-moi. »

Découvre tes cinq sens avec Théo

Lorsque tu te mets à table, tes sens transmettent des informations à ton cerveau sur tout ce qui t'entoure, ce qui te permet de réagir.

La vue

Les yeux observent ce qui se trouve sur la table. Dès qu'ils reconnaissent des aliments que tu adores, cela te donne aussitôt envie de manger !

L'ouïe

DILING DILING

Les oreilles aussi te donnent des informations. Le bruit de la friteuse, celui des glaçons qui tombent dans le verre, cela te fait aussitôt penser aux frites croustillantes et au verre de jus d'orange glacé. Miam ! Cela te fait très envie.

La langue est composée de petites bosses appelées papilles.
Regarde-les dans un miroir. Lorsque tu manges une crème glacée,
ce sont les papilles qui t'aident à repérer sa saveur sucrée.

Le goût

Le toucher

La peau du corps te dit si ce que tu touches
est mou, chaud, collant… La langue et les doigts
sont très sensibles ! Ils te permettent
de reconnaître un aliment.

Le nez sent l'odeur de la pizza sortant
du four. Cela te met en appétit !
Cette odeur vole dans l'air et entre
dans ton nez lorsque tu inspires ;
elle se faufile aussi par la bouche,
mais le nez est beaucoup plus
puissant ! Et lorsque le nez est
bouché, on ne sent plus rien !
L'odorat est gêné et n'aide
plus à apprécier ce que
l'on mange…

L'odorat

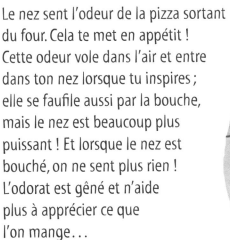

Pour avaler un médicament qui n'est pas très bon
sans rien sentir, bouche-toi le nez en le pinçant avec
tes doigts. C'est super, l'horrible goût a disparu !

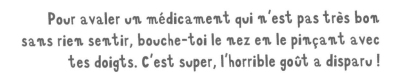

Joue avec Théo

Tu veux comprendre pourquoi Théo trouve son repas complètement raté ?
Demande à un adulte de te donner une tomate, des frites ou des chips et une crème dessert.

tomate

chips

crème dessert

◉ Ensuite, bouche ton nez avec tes doigts et goûte ces aliments.

Que remarques-tu ?

◉ Recommence l'expérience, cette fois, sans te boucher le nez.

Que remarques-tu ?

◉ Recommence ce test en demandant à un adulte de te bander les yeux.

As-tu osé goûter ?

As-tu eu besoin de toucher les aliments avec tes doigts avant de les manger ?

Les as-tu reconnus ?

◉ Maintenant, ferme les yeux et touche longuement ces trois aliments avec tes doigts.
(Essuie tes mains entre chaque aliment.)

Que ressens-tu ?

Trouves-tu cela : rigolo ? dégoûtant ? agréable ? bizarre ?

Ressens-tu la même chose pour chaque aliment ?

Choisis l'aliment qui est, pour toi, le plus agréable à toucher. Est-ce que c'est celui que tu préfères ?

Tes cinq sens au travail

◉ Regarde bien chacune de ces images. À quel sens l'associes-tu ?

citron

poulet rôti

fromage

four à micro-ondes

bonbons

miel

glace

sardines

autocuiseur

◉ Recommence avec un ami. Comptez jusqu'à trois avant de donner votre avis.

Que remarques-tu ?

Chacun ses goûts !

🌀 Le repas préféré de Théo n'est peut-être pas à ton goût. Si tu devais préparer le tien, quels aliments choisirais-tu ?

ENTRÉE	PLAT PRINCIPAL	ACCOMPAGNEMENT	FROMAGE OU LAITAGE

carottes râpées

poisson

haricots verts

camembert

friand au fromage

poisson pané

riz

fromage frais

avocat mayonnaise

œuf au plat

épinards hachés

gruyère

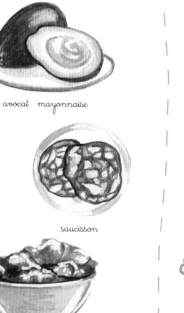

saucisson

steak haché

frites

yaourt

salade verte

cuisse de poulet

spaghetti

fromages de chèvre

DESSERT

banane

crème dessert

mousse au chocolat

glace

salade de fruits

⊙ Propose à d'autres personnes de faire le test.
Ont-ils choisi les mêmes aliments que toi ?

Tu vois, chacun a ses propres goûts.

Tes yeux te jouent des tours

Veux-tu savoir comment tes yeux t'aident à manger ?

⊙ Alors, tente cette expérience.
Demande à un adulte trois pommes : une verte, une jaune et une rouge.

Regarde bien ces trois pommes.
Quelle est celle que tu as le plus envie de croquer ? Pourquoi ?
As-tu fait ton choix en regardant la couleur de la pomme ? sa peau ? sa forme ?

⊙ Maintenant, fais éplucher, couper et disposer ces pommes sur trois assiettes. Ferme-les yeux et goûte-les. Prends le temps de bien mâcher et savourer chacune d'entre elles.

Laquelle préfères-tu ?
Est-ce la même que tout à l'heure ?

Quand tu fermes les yeux, tu ne vois plus la couleur ni la forme des pommes. Tu deviens plus attentif à l'odeur, à la saveur et à ce qui se passe dans ta bouche.

Léa et Théo préparent une surprise

Aujourd'hui, c'est l'anniversaire de maman. Théo et sa grande sœur Léa préparent un plateau surprise.

« Va chercher des cornichons au vinaigre dans la réserve, demande Léa, maman adore ça ! »

« Moi, je préfère les chips ! murmure Théo, en glissant un paquet sous son bras.

— Apporte aussi des fruits secs pour papa, ajoute Léa. »

CHIPS

Léa enfile des morceaux de concombre, de carotte et de chou-fleur sur des petits pics en bois.

« Wouah ! C'est super beau ! s'exclame Théo. C'est pour décorer ?

– Mais non ! répond Léa. Tu trempes ta brochette dans cette sauce et tu croques.

– Beurk ! Manger du chou-fleur cru, quelle horreur !

– Avant, je disais comme toi. Maintenant, j'adore ça. Chacun ses goûts !

– Ça veut dire quoi, chacun ses goûts ? demande Théo. »

« Je t'expliquerai tout à l'heure. Dépêchons-nous ! Nous devons d'abord décorer la table.

– J'ai une idée ! s'écrie Théo, décorons tout en bleu, comme les yeux de maman ! »

ANNIVERSAIRE

Découvre les saveurs avec Théo

Quand tu manges un gâteau, tes papilles (les petites bosses qui sont sur ta langue) te disent aussitôt que ce gâteau est sucré. Mais tous les aliments ne sont pas sucrés !
Les saveurs sont très nombreuses et parfois difficiles à expliquer. Voici les plus simples.

La saveur sucrée

C'est très facile ! C'est la saveur du sucre qu'on met dans le fromage blanc. Tu retrouves cette saveur dans de nombreux desserts comme la mousse au chocolat, le flan, les gâteaux mais aussi dans des fruits (la fraise, la banane, la pomme…) ou des légumes comme la carotte, le maïs, les petits pois…

La saveur salée

C'est la saveur du sel qu'on rajoute parfois dans les plats. C'est aussi celle des chips, du saucisson, des gâteaux apéritifs… Attention ! Si on met trop de sel, le plat devient immangeable.

La saveur acide

C'est la saveur du vinaigre et du citron. Le pamplemousse et le kiwi peuvent aussi être acides, s'ils ne sont pas bien mûrs. Certains adorent cette saveur, d'autres la détestent car elle provoque une sensation de « piquant » dans la bouche qui ne leur plaît pas.

La saveur amère

C'est la saveur de l'endive, de la salade frisée, du café, du chocolat noir… C'est une saveur étrange (souvent, quand on est petit, on ne l'aime pas beaucoup). Mais en grandissant, on change parfois d'avis. À toi de tester !

Mais ce n'est pas seulement la saveur d'un aliment qui fait qu'on l'aime ou pas. Sa température (chaud, froid, brûlant, glacé) ou sa consistance (dur, mou, gras, pâteux, gluant, collant…) sont aussi très importants.

Lorsque tu as très chaud et très soif, rien ne vaut un bon jus de citron, un peu de sucre et des glaçons ! Pourtant, les Hindous ne sont pas de notre avis. Ils trouvent le jus de citron beaucoup plus rafraîchissant en y ajoutant du sel ! À toi de goûter et de te faire une opinion.

Le plateau surprise de Léa et Théo

🐚 Sur le plateau surprise, Théo a disposé des chips, des cornichons et des fruits secs.

Peux-tu l'aider à retrouver la saveur de chacun de ces aliments ?

Pour cela, goûte ces aliments (demande à un adulte de te les fournir) puis relie avec ton doigt leur image aux étiquettes des saveurs.

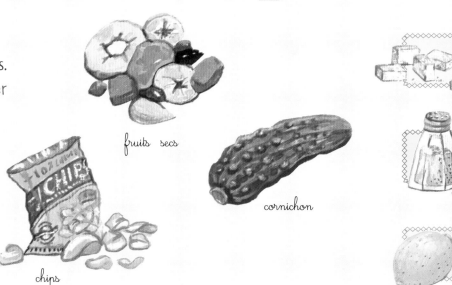

fruits secs

cornichon

chips

sucré

salé

acide

Le champion des mots justes

🐚 Es-tu le champion des mots justes ?

Pour le savoir, demande à un adulte de te lire, un à un, les mots inscrits dans les étiquettes.
À toi d'associer l'aliment qui va le mieux avec chacun des mots. Si tu ne sais pas, fais d'abord une petite dégustation.

sucette

moelleux   pâteux

dur   gluant

croquant

chaud   glacé

collant

guimauve

glace

purée

gelée

pomme

dattes

chocolat chaud

Quel << goûteur >> es-tu ?

🌀 Pour le savoir, observe chaque aliment et dit à quelle saveur il te fait penser.

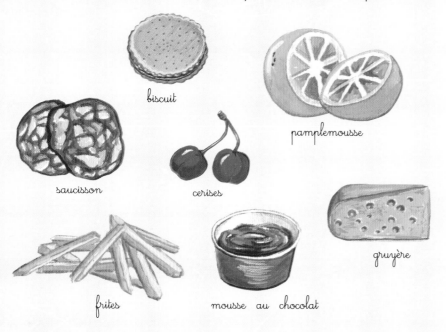

biscuit

pamplemousse

saucisson

cerises

gruyère

frites

mousse au chocolat

Combien de saveurs as-tu reconnues ?

❶ De 0 à 2

Tu es un goûteur débutant. Fais le test pour de vrai et prends le temps de déguster chaque aliment.

❷ De 2 à 5

Tu es un bon goûteur. Affine ton goût en prenant le temps de déguster les aliments dont tu n'as pas reconnu la saveur.

❸ Plus de 5

Tu es un excellent goûteur. Bravo !

🌀 Regarde à présent ces images. Reconnais-tu ces aliments ?

chocolat noir

endive

salade frisée

café

noix fraîche

🌀 On les regroupe dans la même famille de saveur.

Connais-tu son nom ? Connais-tu cette saveur ?

Oui ? Bravo ! Tu es un super goûteur !

Non ? Alors, goûte vite un ou deux de ces aliments et tu reconnaîtras la saveur amère !

Aimes-tu cette saveur ?

Comment masquer une saveur ?

soda

Sais-tu que la saveur de certains aliments peut être masquée par une autre ? Comment ?
Pour le savoir, remonte tes manches et amuse-toi à faire ces expériences.
Il te faut : une bouteille de soda amer, du sel, du sucre en poudre, le jus de deux citrons.

1re expérience : Comment masquer la saveur amère du soda ?

Fais goûter le soda amer (une petite gorgée) à une personne qui aime bien ça.
Demande-lui de fermer les yeux. Pendant ce temps, ajoute une petite pincée de sel fin, mélange bien.
Fais-lui goûter une nouvelle fois la boisson et pose-lui les questions suivantes :

Est-ce le même soda ? Qu'y a-t-il de différent ?

Eh oui, en ajoutant du sel, tu as « masqué » l'amertume et fait ressortir le sucré.

Fais-lui deviner ce que tu as rajouté dans la boisson.

Refais ensuite l'expérience devant lui, il sera très surpris !

sel

2e expérience : Comment atténuer la saveur acide du jus de citron ?

Demande à un adulte de presser le jus de deux citrons. Goûte-le (une toute petite cuillerée).

Reconnais-tu sa saveur ? Aimes-tu cela ?

Ajoute une pincée de sucre en poudre, mélange bien et goûte.

Ressens-tu un changement de saveur ?

sucre

Continue ainsi en ajoutant à chaque dégustation une pincée de sucre. Poursuis jusqu'à
ce que la boisson devienne à ton goût. Compte le nombre de pincées de sucre que tu as rajoutées.
Fais faire l'expérience à un ami.

Avez-vous mis le même nombre de pincées de sucre ?

jus de citron

Es-tu plutôt sucré ou salé ?

◉ Tout le monde n'aime pas la même chose. Certains préfèrent le sucré, d'autres le salé, l'acide…

Et toi, que préfères-tu ?

Pour le savoir, fais ce test : observe bien les deux aliments proposés à chaque ligne.
Note sur une feuille (avec l'aide d'un adulte) le code de l'aliment que tu préfères : ✳/◆
Compte le nombre total de ✳ et de ◆ que tu as obtenus. Le code qui obtient le plus grand nombre t'indique si tu es « plutôt sucré » ou « plutôt salé ».

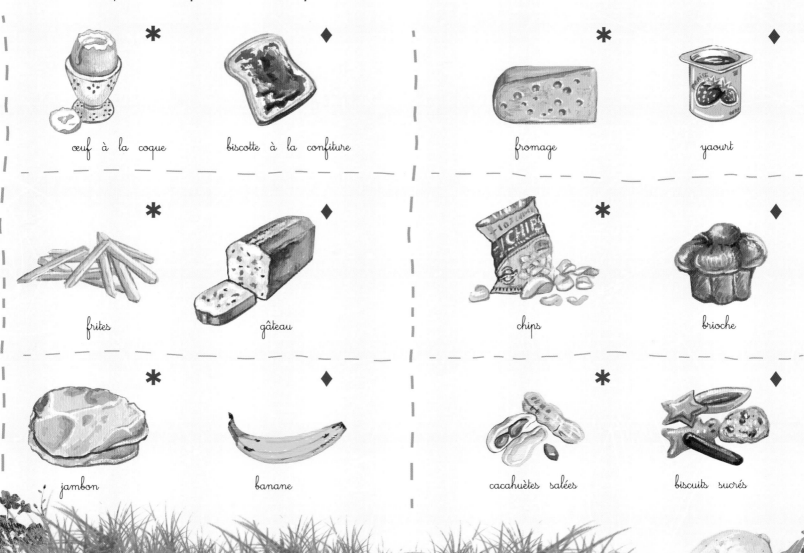

✳	◆	✳	◆
œuf à la coque	biscotte à la confiture	fromage	yaourt
frites	gâteau	chips	brioche
jambon	banane	cacahuètes salées	biscuits sucrés

21

Le jardin parfumé de Théo

« Wouah ! Ces papillons sont super beaux ! s'écrie Théo en courant dans tous les sens. J'en veux un ! Mais... Plaff ! Théo trébuche et s'écrase le nez dans un parterre du potager.
– Aïe ! Aïe ! Aïe ! dit-il en frottant son visage et son nez. »

« Bizarre... marmonne Théo en repassant ses mains sur son nez. Je suis tout parfumé. C'est magique ! Maman, viens voir !
– Hum ! dit maman en sentant les mains de Théo. Tu as découvert mon parterre secret. Ferme les yeux et approche ton nez ! »

sauge

dragon

ciboulette

menthe

« Oooh ! On dirait du chewing-gum.
  – C'est de la menthe, regarde. Et là, c'est du thym, sens-le.
  – Tiens ! On dirait les petits trucs que tu mets sur la pizza.
  – Quel nez ! s'exclame maman. Je mets aussi du romarin, il est ici. »

Théo découvre aussi la ciboulette, le basilic, le persil…
« Maman, je te nomme Reine des Senteurs ! s'écrie Théo émerveillé.
  – Pas si vite ! répond maman. Avant, je dois te montrer ma collection d'épices.
  – C'est quoi des épices ?
  – Si tu veux le savoir, suis-moi. »

Découvre les épices avec Théo

Tu connais déjà le sel, le poivre, la moutarde… qui donnent de la saveur aux plats. Les épices sont des plantes qu'on utilise en cuisine pour parfumer les plats et leur donner encore plus de saveur. On les appelle aussi des aromates. Certaines poussent dans nos jardins, d'autres viennent de pays lointains.
Autrefois, elles étaient considérées comme de véritables trésors !

Selon les épices, on utilise différentes parties de la plante.

laurier

estragon

coriandre

menthe

thym

ciboulette

romarin

basilic

persil

Pour celles-ci, on utilise les tiges et les feuilles fraîches ou sèches.

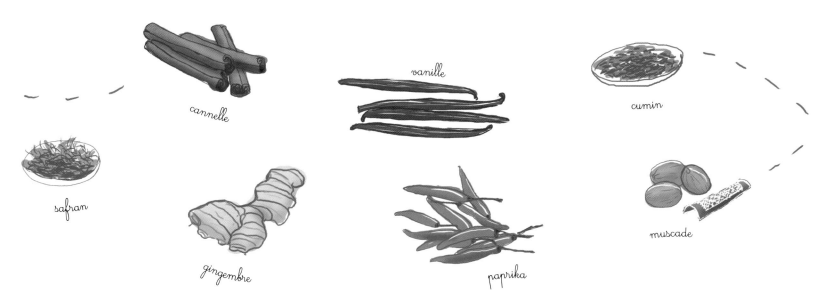

cannelle

vanille

cumin

safran

gingembre

paprika

muscade

Pour celles-là, on utilise les graines, les fruits, les écorces, les racines ou même les fleurs ! On les réduit parfois en poudre pour les utiliser plus facilement.

Le curry est à lui seul un mélange d'une vingtaine d'épices dont le curcuma, le gingembre, le cumin, le safran, la moutarde, le laurier, le piment... D'origine indienne, c'est lui qui donne la belle couleur jaune au riz qu'il parfume.

Glaçons parfumés

Pour que tes boissons d'été soient originales et fraîches, prépare ces glaçons. Ils épateront tes amis, petits et grands !

des petites feuilles de menthe

1 litre d'eau

1 bac à glaçons

⟳ Il te faut :

3 branches de menthe

1. Mets le litre d'eau dans une casserole. Demande à un adulte de faire bouillir. Ajoute les trois branches de menthe, pose un couvercle sur la casserole. Laisse infuser ainsi pendant 10 minutes.

2. Filtre avec une fine passoire le contenu de la casserole. Attends qu'il refroidisse. Dépose une feuille de menthe dans chaque compartiment du bac à glaçons, complète avec le liquide refroidi.

3. Mets au congélateur pendant une nuit. Propose tes glaçons pour rafraîchir les jus de fruits, sirops, sodas… En fondant, le glaçon parfumera délicatement la boisson et tes invités seront ravis et agréablement surpris !

Ton mini-jardin de plantes aromatiques

⟳ Même si tu n'as pas beaucoup de place chez toi, voici comment créer, facilement, ton mini-jardin aromatique :

Demande à un adulte de te prêter une jardinière.

Remplis le fond de petits graviers, puis ajoute du terreau.

Achète dans une jardinerie des plants de menthe, de thym et de basilic.

Replante-les dans ta jardinière en prenant soin de laisser un peu d'espace entre chaque plante. Arrose abondamment.

Place ta jardinière dans un coin de ton jardin, sur ton balcon, sur le bord d'une fenêtre…

Ça y est, ton mini-jardin est prêt !

Dans quelques semaines, tu pourras récolter les premières feuilles ou branches sur chacune de tes plantes.

Es-tu un « fin nez » ?

On dit que les grands chefs cuisiniers et les célèbres œnologues (ceux qui goûtent le vin) sont de fins nez car ils sont capables de reconnaître de très nombreux parfums.

Et toi, en es-tu un ?

🌀 Pour le savoir, fais cette expérience. Il te faut :

x 6 pots de yaourts propres et opaques

x 6 carrés de papier aluminium alimentaire (environ 15 cm de côté)

1 cure-dent

1 poignée de graines de poivre

x 5 anis étoilés

x 3 bâtons de cannelle

x 5 feuilles de menthe

x 3 gousses d'ail épluchées

1 poignée de clous de girofle

1. Place chacun des ingrédients dans un pot.
Recouvre-le d'un carré de papier aluminium bien tendu.

2. Avec le cure-dent, fais des petits trous dans le papier.
Demande à un adulte d'écrire sous chaque pot le nom du contenu.

3. Chaque « testeur » doit sentir les pots et répéter le nom de leur contenu au fur et à mesure que l'adulte les présente. Mélange les pots et fais-les de nouveau sentir un à un, par chaque « testeur ».

Celui qui reconnaît et nomme le plus grand nombre de senteurs a gagné ! À toi de jouer…

Le concours de confitures

« Pfff ! bougonne Théo en feuilletant
un nouveau livre, je ne trouve rien.
— Que cherches-tu ? demande Papa.
— Je veux une recette de confiture super
originale pour participer au concours de l'école.
— Hum ! Je crois que j'ai ce qu'il te faut. »

« C'est le cahier de recettes
de ta grand-mère. Sa confiture
était un délice.
— Beurk ! s'écrie Théo, du potiron,
des abricots secs et du citron !
Ce n'est pas très jojo.
— Ta grand-mère était une très grande
cuisinière. Fais-lui confiance. Tu seras surpris ! »

Le lendemain, Théo dépose son pot de confiture devant le jury et attend…
La maîtresse annonce enfin les trois gagnants :
« La médaille d'or revient à Yasmina pour sa confiture de patates douces ! La médaille d'argent va à Maxime pour sa confiture de bananes…
Enfin, la médaille de bronze revient à Théo, pour sa confiture de potirons ! »

« Youpi ! J'ai gagné ! s'écrie Théo. Quand je serai grand, je serai un grand chef cuisinier !
Dis papa, tu veux bien m'aider ?
– Bien sûr ! Prêt pour la première leçon ?
Suis-moi. »

Découvre le mélange des saveurs avec Théo

Voici trois conseils importants pour devenir un grand cuisinier.

1) Apprendre à cuisiner !

Sais-tu qu'à partir d'un même aliment tu peux préparer mille et un plats différents ? Et chaque plat a une saveur particulière ! Tout dépend de sa cuisson et de sa préparation.

La pomme de terre peut être cuite au four, en entier ou en petits morceaux, bouillie avec ou sans sa peau ou encore frite dans l'huile. On peut même la cuire dans les braises du barbecue !

En ajoutant de la crème, du lait, du beurre, du gruyère ou des épices, tu prépares des purées, des gratins, mais aussi des galettes, des beignets, des tourtes, des potages… et même des gaufres !

La pomme, elle, se mange aussi bien crue que cuite. C'est la reine des desserts : tartes, salades de fruits, compotes, beignets, pommes caramélisées, confitures, sorbets. En purée ou dorée au beurre, elle accompagne le boudin, le rôti de porc, l'oie et même le poisson. Elle se faufile aussi dans les salades et peut se transformer en boissons : cidre et jus de pomme !

2) Inventer des recettes

Pour créer une recette, le chef cuisinier cherche, durant des jours et des jours, comment préparer et marier des aliments entre eux, mélanger des saveurs… pour créer des plats originaux et savoureux qui nous étonnent et nous régalent. C'est ainsi que sont nés :

les mélanges d'aliments sucrés et salés,

comme le canard aux pêches, le poisson aux raisins, le boudin aux pommes…

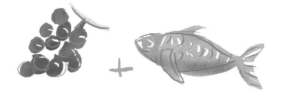

les mélanges de légumes dans les desserts,

comme le gâteau de carottes, la confiture de tomates vertes, la tarte au potiron, les lentilles confites au citron…

les mélanges de fruits et de fromages,

comme le feuilleté de poires au chèvre, le bleu à la confiture de mûres…

3) Visiter les cuisines du monde

Chaque pays, chaque région du monde a ses traditions et ses spécialités. Les mélanges de saveurs ou l'utilisation des épices ne sont pas forcément les mêmes que chez nous. En Amérique du Sud et en Inde, on mange très épicé ; les Anglais et les Américains font des tartes avec de la carotte ou du potiron, tandis qu'au Japon, on peut déguster de la confiture d'azuki, à base de haricots rouges… Il faut tout essayer !

Bonbons au poisson, soupe de tortue ou d'aileron de requin, sauterelles grillées, cuisses de grenouilles, escargots farcis... Les spécialités de certains pays peuvent paraître surprenantes mais surtout n'oublie pas... chacun ses goûts !

Drôles de mélanges !

🌀 Figure-toi que, dans certaines familles, en France, ces mélanges d'aliments existent bel et bien. **O**seras-tu y goûter ?

Une tartine
de beurre salé avec
une grappe de raisin
blanc

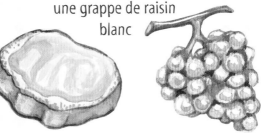

Un morceau de camembert
avec des carrés de
chocolat

Des pâtes cuites
arrosées de miel

Qui mange quoi ?

🌀 Connais-tu le plat préféré
des Italiens, des Mexicains,
des Chinois... ?

Pour le savoir, suis le fil de chaque
personnage et tu découvriras sa préférence.

Mexicain

Américain

nems

couscous

Marocain

pizza

hamburger

Chinoise

Italien

enchilladas

La confiture de potiron

C'est une confiture originale, très rapide à faire, que tu pourras offrir à tes amis et ta famille.

🌀 Il te faut :

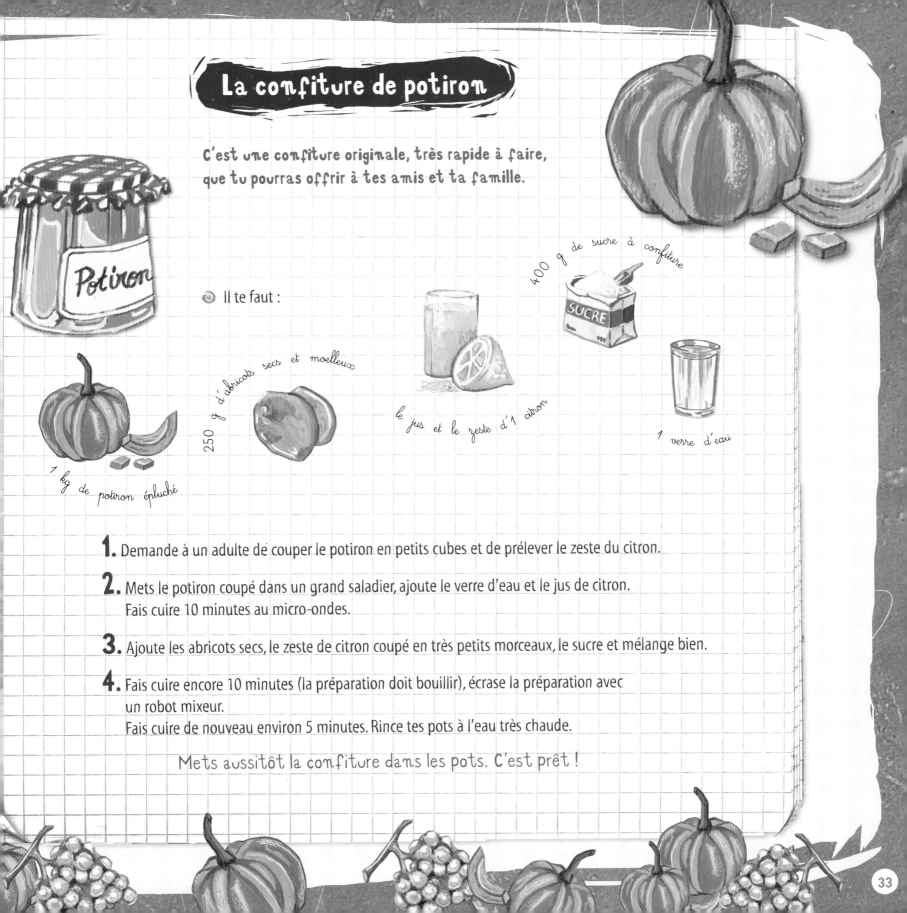

400 g de sucre à confiture

250 g d'abricots secs et moelleux

le jus et le zeste d'1 citron

1 verre d'eau

1 kg de potiron épluché

1. Demande à un adulte de couper le potiron en petits cubes et de prélever le zeste du citron.

2. Mets le potiron coupé dans un grand saladier, ajoute le verre d'eau et le jus de citron. Fais cuire 10 minutes au micro-ondes.

3. Ajoute les abricots secs, le zeste de citron coupé en très petits morceaux, le sucre et mélange bien.

4. Fais cuire encore 10 minutes (la préparation doit bouillir), écrase la préparation avec un robot mixeur. Fais cuire de nouveau environ 5 minutes. Rince tes pots à l'eau très chaude.

Mets aussitôt la confiture dans les pots. C'est prêt !

Théo et les drôles de mots

Dring ! Dring !
« Chic ! s'exclame Théo, c'est papi !
– Salut bonhomme. AAAAH ! J'ai une faim
de loup ! Allons voir si le casse-croûte est prêt.
Hum ! Ça sent drôlement bon ici ! dit papi.
J'en ai l'eau à la bouche ! Ce soir, je vais dévorer.
J'AI LES CROCS ! »

« Papi…, murmure Théo effrayé,
tu parles… comme un… vrai… loup ?
– Mais non ! Voyons ! Je dis, avec mes mots à moi,
que j'ai très, très faim, et que cette bonne odeur
me donne très, très envie de manger ! »

« Ah ! Je comprends, dit Théo d'un
air malicieux, tu es un papi GOURMAND
COMME UNE CHATTE, qui veut SE GAVER
COMME UNE OIE et MANGER COMME
QUATRE !
– Tu as tout compris ! dit papi
en souriant. »

Les drôles d'expressions

As-tu compris ce que voulait dire Théo ?

◉ Pour le savoir, fais ce test avec une grande personne.

Être gourmand comme une chatte veut dire :
- ○ boire du lait comme le chat.
- ○ être très gourmand et manger tout ce qu'il y a dans son assiette.

Se gaver comme une oie veut dire :
- ○ manger beaucoup, beaucoup.
- ○ manger avec un entonnoir dans la bouche.

Manger comme quatre veut dire :
- ○ manger quatre repas par jour.
- ○ manger beaucoup plus que d'habitude.

Les drôles de gâteaux

◉ Relie avec le doigt chaque dessin au gâteau qu'il désigne.

langues de chat

millefeuille

gland

chausson

GRAND-MÈRE FAIT LA CUISINE

Adaptation des textes et musique par Henri Dès

Refrain
Grand-mère fait la cuisine
Ça chatouille ça chatouille
Grand-mère fait la cuisine
Ça chatouille les narines

Elle a plein de casseroles
Et presqu' autant de cocottes
Ça mijote ça rissole
C'est la reine de la popote

Elle fait de drôles de salades
En mélangeant les couleurs
Et de jolies marmelades
En mélangeant les saveurs

Refrain
Grand-mère fait la cuisine
Ça chatouille ça chatouille
Grand-mère fait la cuisine
Ça chatouille les narines

Quand on est ses invités
On ouvre grand nos mirettes
Et de la voir cuisiner
C'est le début de la fête

On aura des haricots
Beaux beaux les haricots
Et de jolis abricots
Beaux beaux les abricots

Refrain
Grand-mère fait la cuisine
Ça chatouille ça chatouille
Grand-mère fait la cuisine
Ça chatouille les narines

Et puis c'est un vrai bonheur
Un plaisir véritable
On fredonne tous en chœur
Quand on met enfin la table

On aura des chanterelles
Belles belles chanterelles
Et de jolies mirabelles
Belles belles mirabelles

Refrain
Grand-mère fait la cuisine
Ça chatouille ça chatouille
Grand-mère fait la cuisine
Ça chatouille les narines

Grand-mère fait la cuisine
Ça chatouille ça chatouille
Grand-mère fait la cuisine
On se lèche les babines

QUAND GRAND-MÈRE FAIT LA CUISINE

Écrit par les enfants

Quand grand-mère fait la cuisine
Ça chatouille les narines
Ça mijote
Dans la cocotte
Ça rissole
Dans les casseroles
En été dans le jardin, on cueille les haricots
On savoure les abricots
On ramasse les poires juteuses
Les mirabelles délicieuses.
On fait de drôles de salades
En mélangeant les couleurs
On découvre les saveurs
De toutes sortes de marmelades
La confiture de groseille
Quelle merveille
On l'étale sur les tartines
Sur la glace et le pudding
Quand grand-mère fait la cuisine
On se lèche les babines

LES QUATRE SAISONS

Adaptation des textes et musique par Henri Dès

Refrain
Dans toute une année
On a quatre saisons
Elles sont toutes belles
Chacune à sa façon

Il y a l'été
Et le citron pressé
Un peu acidulé
Bien frais ou bien glacé

On va lui donner
Juste pour le sucrer
Un petit peu de miel
Merci bien le soleil

Refrain
Dans toute une année
On a quatre saisons
Elles sont toutes belles
Chacune à sa façon

Saison du soleil
Ou sous les parapluies
Saisons des merveilles
Et cadeau pour la vie

Il y a l'automne
Les prom'nades en forêt
Dans mon p'tit panier rond
J'ai plein de champignons

On fera une bonne
Omelette aux bolets
J'en ai déjà tout plein
J'connais tous les bons coins

Refrain
Dans toute une année
On a quatre saisons
Elles sont toutes belles
Chacune à sa façon

Et autour des tables
On voit les yeux qui brillent
C'est inoubliable
Et bon pour les papilles

Il y a l'hiver
Le p'tit lac est gelé
On va se réchauffer
Près de la cheminée

Avec une tartine
Un bon chocolat chaud
C'est pas la grande cuisine
Mais c'est presque aussi beau

Refrain
Dans toute une année
On a quatre saisons
Elles sont toutes belles
Chacune à sa façon

Moment d'la journée
Et moment de chaleur
Le petit goûter
Vous réchauffe le cœur

Il y a le printemps
Qui nous épate encore
Et encore et encore
Depuis la nuit des temps

On s'en met plein les yeux
Y a juste à regarder
Ses fleurs par milliers
Aux couleurs sucrées

Refrain
Dans toute une année
On a quatre saisons
Elles sont toutes belles
Chacune à sa façon

Printemps de sirop
Ou de petits bonbons
A chaque fois si bon
A chaque fois nouveau

Refrain
Dans toute une année
On a quatre saisons
Elles sont toutes belles
Chacune à sa façon

LES 4 SAISONS DU GOÛT

Écrit par les enfants

M. l'Été nous a aidé
Pour nous désaltérer
Un bon citron pressé bien glacé
Juste un peu d'acidité
Pour un grand coup de frais

M. l'Automne nous a emmenés
Dans la forêt, nous promener
Pour se régaler : une omelette de bolets
Pas trop salée
Voilà un bon dîner

M. l'Hiver nous a montré
Près de la cheminée
Qu'avec un bol de cacao bien chauffé
On apprend à savourer l'amer peu aimé
Et à se décontracter

M. le Printemps nous a épatés
Avec ses milliers de fleurs sucrées
En confiture, en sirop, en bonbons
ou en beignets.

Chaque saison nous a apporté
Le bonheur de goûter
En toute liberté
Sans être dégoûtés

AIMER OU DÉTESTER

Adaptation des textes et musique par Henri Dès

Refrain
On a bien le droit
Parfois
De ne pas tout aimer
Mais le plus important
C'est de goûter avant

On a bien le droit
Parfois
De pas tout trouver bon
Mais le plus important
C'est de goûter avant

Dis pas
Dis pas
Que tu n'aimes pas ça
T'as même pas
Même pas
T'as même pas goûté

Dis pas
Dis pas
Que tu détestes ça
T'as même pas
Même pas
T'as même pas goûté

Refrain
On a bien le droit
Parfois
De ne pas tout aimer
Mais le plus important
C'est de goûter avant

Sais-tu
Sais-tu
Que si tu goûtais
Tu s'rais
Tu s'rais
Peut-être étonné

Sais-tu
Sais-tu
Que tu pourrais aimer
Tu s'rais
Tu s'rais
Peut-être étonné

Refrain
On a bien le droit
Parfois
De ne pas tout aimer
Mais le plus important
C'est de goûter avant

Dis pas
Dis pas
De toute façon
Dis pas
Dis pas
Que ça n'est pas bon

Une fois
Une fois
Moi je te le dis
Une fois
Tu vas
Changer d'avis

Refrain
On a bien le droit
Parfois
De ne pas tout aimer
Mais le plus important
C'est de goûter avant

On a bien le droit par- fois de ne pas tout ai- mer
mais le plus im- por- tant c'est de goû- ter a- vant
On a bien le droit par- fois de pas tout trouver bon mais le plus im- por- tant c'est de goûter a- vant dis pas dis pas que
tu n'ai- mes pas ça t'as même pas même pas
même pas goû- té dis pas dis pas que
tu dé- tes- tes ça t'as même pas même pas
même pas goû- té

AIMER OU DÉTESTER

Écrit par les enfants

Le chou-fleur, quelle horreur
En soufflé ? J'veux bien goûter
Le poisson, j'aime pas ça
En gratin ? Pourquoi pas
Les carottes, non, non, non
Mais râpées, c'est bien bon
Les tomates, non merci
Mais farcies, oui, oui, oui
On a l'droit de n'pas aimer
L'important c'est de goûter
On est souvent étonné
D'aimer ce qu'on croyait détester

GRAND-MÈRE FAIT LA CUISINE

Costumes et chorégraphie du refrain

Grand-mère fait la cuisine
Ça chatouille ça chatouille
Grand-mère fait la cuisine
Ça chatouille les narines

Refrain

1, 2, 3, 4

Dans toute une année
On a quatre saisons
Elles sont toutes belles
Chacune à sa façon

LES QUATRE SAISONS

Costumes et chorégraphie du refrain

43

Refrain

AIMER OU DÉTESTER
Costumes et chorégraphie du refrain

J'aime pas

Miam-miam

Hmmmm, c'est bon!

On a bien le droit
Parfois
De ne pas tout aimer
Mais le plus important
C'est de goûter avant

Postface

Lorsque Matty Chiva, psychologue du goût et de l'enfant est décédé en avril 2003, il était essentiel pour ses collaborateurs et amis, membres de l'Institut Danone, de perpétuer sa mémoire et son action en faveur de l'éducation au goût de l'enfant.
Le Prix Matty Chiva a ainsi été créé pour récompenser des initiatives en faveur de l'éducation des papilles des enfants.
Depuis 2003, l'Institut Danone a ainsi mis à l'honneur six initiatives en milieu scolaire et/ou périscolaire.
Pour cette nouvelle édition, ce sont les mots du goût qui ont été le centre d'intérêt. En effet, comment peut-on vivre les expériences culinaires si l'on ne peut les nommer, les décrire, les partager ? De cette expérience sont nés ce livre et ces chansons, élaborées autour de poèmes d'enfants.

L'Institut Danone

Merci à tous !

Le livre

Au docteur Martine Pellae, médecin nutritionniste
à l'Hôpital Bichat et à Natalie Rigal, maître
de conférence à l'université de Nanterre, chaire
de psychologie, membres de l'Institut Danone pour
l'apport scientifique, les conseils avisés et leur extrême
disponibilité tout au long de ce projet.

Les chansons

Aux petits poètes et choristes de la classe
de CE2 de l'école E. Branly de Fameck (57) pour
Grand-mère fait la cuisine et *Aimer ou détester*
et de l'école J. Ducret de Meounes les Montrieux (83)
pour *Les quatre saisons*
À Catherine Jost et Marjorie Cucii Duleba,
les enseignantes
À Olivier Delevingne, arrangeur et coach musical
À Véronique Perrault, chef de chœur
À Marie Devillers, chorégraphe dans l'Oise pour
la mise en mouvement et à ses copines du lundi.
À Elisabeth Kopacz pour les indications de costume
À Eric Giroux, producteur du disque
À Henri Dès, auteur-compositeur des chansons

À tous ceux qui ont cru en ce projet jusqu'au bout
et ont donné toute leur énergie, leur sourire,
leur temps et... leurs larmes d'émotion.

Adaptation des paroles et musiques

Henri Dès

Musiciens

Accordéon : Francis Jauvain
Basse : Olivier Andrès
Claviers : Olivier Delevingne
Chœurs : Véronique Perrault, Sophie Proix
Guitare électrique : Yves Girault
Mandoline, guitare : Christian Séguret
Pedal Steel : Lionel Wendling
Percussions : Éric Hervé

Enregistrement des chœurs

Studio de la Grande Armée
Assistants, Claire et Alex.

Arrangements et réalisation

Olivier Delevingne pour PMJ

Mastering

Michel Geiss

Les petits chanteurs de l'école E. Branly

Amine	Dany	Humeyra	Quentin
Anaïs	David	Juliana	Renaud
Anissa	Duresa	Lou-Anne	Samira
Asja	Ferdi	Mélissa	Younès
Aurélie	Habil	Mickaël	
Bacik	Héléna	Philippe	